SOPA DE LIBROS

Título original: *Marina. Cavall de mar*


Juan Ignacio Luca de Tena, 15. 28027 Madrid

Primera edición, octubre 1998
Segunda edición, julio 2000
Tercera edición, septiembre 2001

Diseño: Manuel Estrada

ISBN: 84-207-9004-4
Depósito legal: M. 28.728/2001

Impreso en Gráficas Muriel, S. A.

Buigas, s/n. Polígono Industrial El Rosón
28903 Getafe (Madrid)
Impreso en España - Printed in Spain



Xirinacs, Olga
Marina y Caballito de mar / Olga Xirinacs ; ilustraciones de Asun Balzola ; traducción de la autora. — Madrid : Anaya, 1998
72 p. : il. coln. ; 20 cm. — (Sopa de Libros ; 24)
ISBN 84-207-9004-4
1. Poesías infantiles. 2. Adivinanzas. 3. Mar. I. Balzola, Asun, il. II. TÍTULO. III. SERIE
849.91-1

# Marina
# y Caballito de mar

SOPA DE LIBROS

Olga Xirinacs

# Marina y Caballito de mar

Ilustraciones
de Asun Balzola

ANAYA

Traducción de la autora

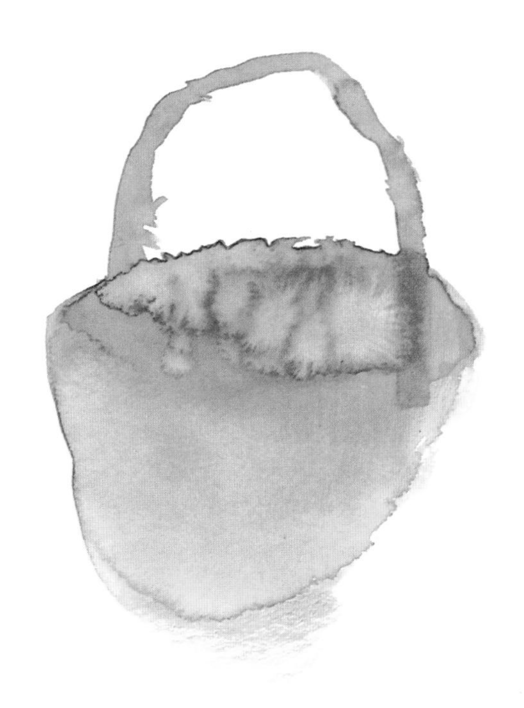

# MARINA

# Adivinanzas

Adivina adivinanza,
tiene tinta, no se mancha
y no escribe ni a su amigo.

Adivina que adivina,
tiene ocho patas en danza.

Le gusta estar escondido
y en cinco letras lo digo:
¿será un pulpo divertido?

¿Quién lo adivina?
Da sopa fina.

¿Quién lo ha pescado,
tan malcarado?

Nos amenaza
con su bocaza.



Rape será,
o pejesapo,
¿quién lo sabrá?

Caballeros van de luto,
con sus barbas y su escudo.
Bien cocidos al vapor
se nos vuelven amarilllos
como el sol.
Llevan concha, llevan casa
pero no son caracol.

Tan negros como el carbón
no ensucian ni dan calor;
viven juntos a montones
y se llaman mejillones.

12

Cien alfileres sobre un acerico,
ay, alfilerillo,
no me pincharás el piececillo.

Soy un negro bien vestido,
elegante y presumido,
clavo mis pinchos sin fin.

Por si aún no lo adivinas,
soy un sol con cien espinas,
soy brillante y soy rollizo,
¿Quién soy yo?
¡Pues el erizo!

# AMIGAS Y AMIGOS



El amigo Andrés
dibuja en la arena
un gato al revés.

La ola le alcanza,
el gato se ríe
y se rasca la panza.

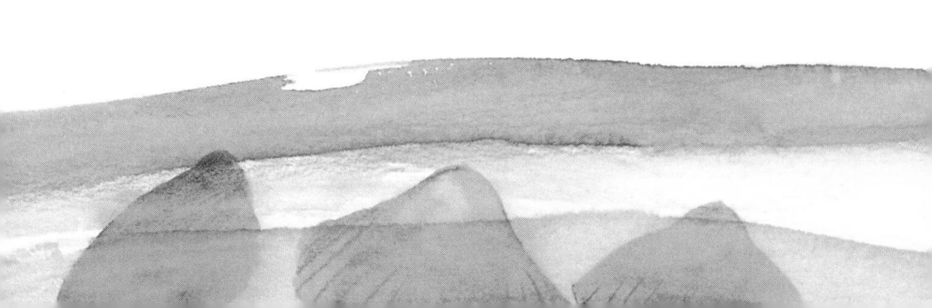

El niño Vicente
levanta en la arena
un castillo imponente.

Va el agua y se lleva
la torre del medio,
puente y escalera.

Anita y Rosita
cavaban un pozo
con una palita,

un pozo chiquito,
con algas y conchas
y algún cangrejito.

Me subo al patín,
si quieres venir

veremos doradas,
quizá algún delfín,

que nadan, que saltan,
que brillan al sol.

Si quieres subir
nos vamos los dos.

Marina se ríe al sol,
mientras juega con la concha
de un caracol.

Se da una vuelta en la arena,
y en la arena está el cangrejo,
morena.

Cangrejo chiquito,
le sube al dedito
y le hace cosquillas
en las paletillas,
baja por el brazo,
y mira por dónde,
se asusta y se esconde.

Vamos a pescar:
la barca y la caña
en medio del mar,

pageles, serranos,
la caña se mueve,
tiramos, tiramos.

La cesta ya pesa,
pescaditos fritos
encima la mesa.

# Barcas y estrellas

La barquita sardinera
lleva faroles detrás,
brilla lucera.

La luna peina caballas
con pincelitos de plata,
todas a rayas.

Boquerones y sardinas
parecen, alborotadas,
primos y primas.

Por el mar la gaviota
se acerca como una vela,
barquita de plumas blancas
que las olas balancean.

Las olas la van meciendo
mientras vigila a su pez.
¡Ya lo atrapé, ya lo tengo!
Se lo traga de una vez.

La estrella miraba
el espejo del mar,
las olas de plata
la hacían bailar.

Una noche oscura
se quiso bajar
porque la llamaba
la estrella de mar.

Tengo una barca muy vieja,
blanca, verde y amarilla
con una estrella prendida.
Mi abuelo me la prestó,
blanca, verde y amarilla,
para que navegue yo.

Voy al África, a la China
voy a América latina.
La vela se me rajó,
y abuelo la remendó.

La barca amarilla,
la que corre más,
lleva gaviotas
chillando detrás.

Ya llegan las barcas,
detrás y delante,
pájaros y peces,
viento de levante.

Viejo marinero,
a pescar de noche
se marcha el primero.

Ya brilla el lucero,
faro matutino,
que trae su barquita
por el buen camino.



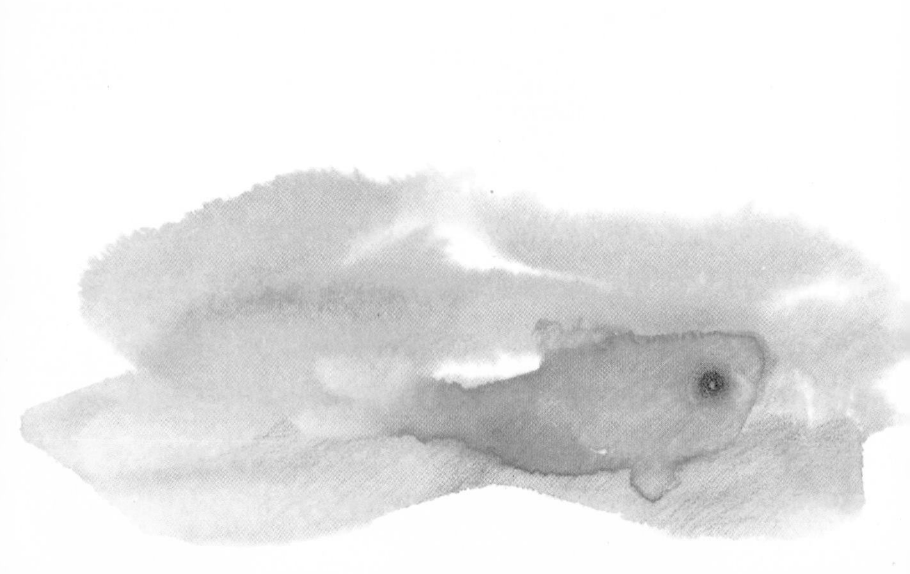

# CABALLITO DE MAR

# CHAPUZONES

Me gusta mucho nadar
con las gafas submarinas.
Cada pez es un amigo:
los hay chicos, también grandes,
y otros están escondidos.
Digo al ver las escorpinas:
¡Vaya espinas!

No me pinchan los erizos
ni me asustan las herreras:
son un rebaño de plata
y se acercan marrulleras.
Peregrino
barbafino,
si los peces quieres ver,
¡mucho ojo!
En remojo
las barbas vas a meter.

Nado cerca de la playa
y descubro un lenguadito
que me mira de reojo
con un ojo.
Plano en la arena, estirado,
camuflado y rebozado,
me espía de medio lado.
Lenguado, lengua de palo,
si te vuelves a enterrar
nadie te podrá encontrar.

La abuela me pide almejas,
¿son orejas por parejas?
Una almeja y una lapa
corren a ver quién se escapa.



La abuela las ha metido
en un arroz bien cocido.
La paella y el limón,
y en medio, bailando,
un buen mejillón.

Paso hacia atrás,
paso adelante,
viene un cangrejo
muy elegante.

Va bien armado,
como un soldado,
todo su cuerpo
tiene blindado.

En una pinza
trae unas flores.
¿Para quién son
tantos colores?

Una cangreja
le está esperando,
paso hacia atrás,
paso avanzando:

Rocas abajo
bailan al sol,
valses y sambas
y el rock'n roll.

Con mis gafas submarinas
puedo ver los berberechos,
redonditos y bien hechos,
y las almejas más finas,
las tellinas.
San Jaime lleva un bastón
y un vestido de conchitas
onduladas, rayaditas,
peregrinas.

Caballito de mar,
súbeme a tu lomo,
que quiero saltar.
Con agua y con sol
llévame a la casa
del caracol.
Caracol, bailarín,
rueda, rueda,
baila y juega.



Caracol que te pillo
tienes diez pinchos
en su castillo.

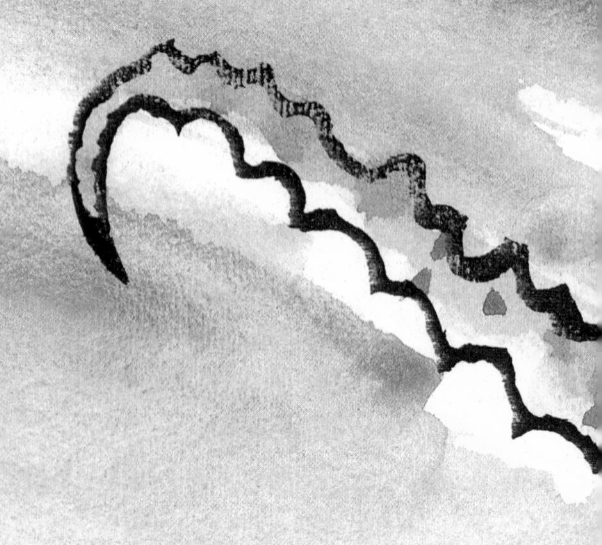

La reina de las medusas
ahora va despeinada,
porque ha perdido su peine,
el de espina de caballa.
Ven, caballa, descarada,
traeme la espina más fina.
Yo la he visto, se escondía,
toda a rayas,
bien listada,
verde, azul,
también morada.
La reina está disgustada.



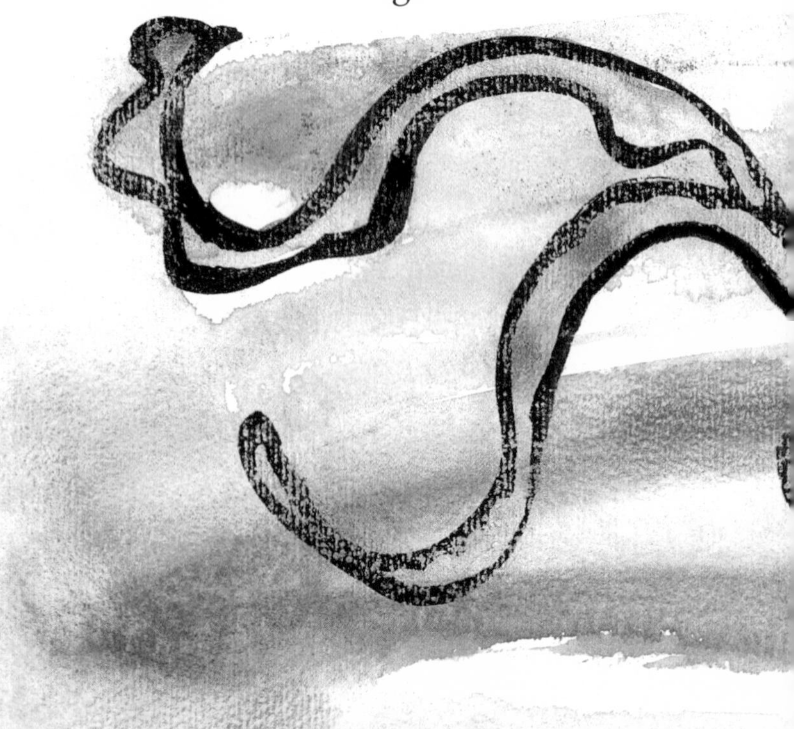

Medusa de seda fina,
bailarina,
transparente y deliciosa,
perezosa.
Lleva prendidas al pelo
largas cintas de colores,
azul, rojo y esmeralda:
tiene el arco iris
pintado en la espalda.

El mar está frío,
si me mojo un pie
me da escalofrío.

Playa adelante
veo un cangrejo
como un gigante.

De lado y corriendo
se sube a mi pie,
¡ay, me está mordiendo!

¡Qué susto, qué espanto!
Me suelto la pinza,
me escapo de un salto.

Me clavo un rastrillo
y asusto a una niña
que monta un castillo.

Se hunde el castillejo
y sobre el rastrillo
se monta el cangrejo.

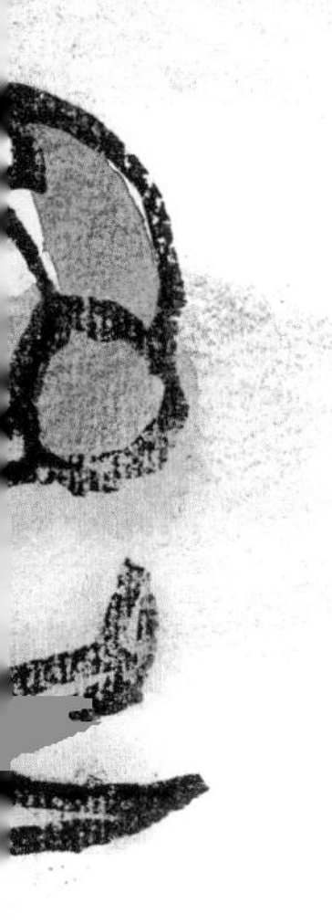

La reina del mar
tiene una cajita
de rojo coral.
Dentro hay un espejo
de nácar brillante
y marco oro viejo.
Se ríe la reina,
y a cada sonrisa
le nace una perla.
Tiene cien collares,
doscientas pulseras
y anillos a pares.
La reina chiquita
llama a sus caballos
y a sus muñequitas.
La caja está llena
y este caballito
veloz se la lleva.
La reina se va,
corre, caballito,
ya no volverá.

Entre algas y erizos,
pegada a su roca,
está doña lapa,
vive en un sombrero
y nunca se escapa.
El sombrero es verde,
nunca se lo quita
y así no lo pierde.



¿Dónde vas, tan presumida?
No eres pez ni caracol,
¿te asusta la luz del sol?

Nadando, nadando,
entre las rocas veo un sargo.
¿Sargo chiquito
igual que un mosquito?
¿Sargo más grande
que un elefante?
Es un sargo amigo,
y no se ha movido.
Cerca de la cola tiene un lunar,
negro de pimienta, granito de sal,
espejo de plata que brilla al pasar.

Por entre las rocas,
jugando en el agua,
vive el salmonete:
me río de la sal
y del monete,
gordezuelo,
con bigotes de chinete.
Me hace una gran
reverencia
para meterse en la arena
en busca de un buen gusano.

# Jardín de playa

Por la arena del jardín
corren hormigas a cientos,
lagartijas, cucarachas
y un montón de escarabajos
peloteros.
Pelota arriba,
adiós, bombilla.
Pelota abajo,
ay, que me pilla.
Me sigue una tijereta,
y un abejorro me ataca
con su terrible trompeta.

Papá fuma en pipa
de buena madera,
madera de brezo,
y gasta un tabaco
que echa el humo espeso.

Yo sé hacer las pipas
con flor de granado,
chiquitas, redondas,
la corona roja
y el humo dorado.

A la media noche
me voy de aventura:
mi cama es la barca,
la sábana, vela,
y encima del mástil
un loro chillón
que se balancea.
Navego con sol,
la brisa me lleva,
soy mi capitán
y voy a la China.



En la China hay un delfín,
saltarín,
y en América del Sur
una foca parlanchina.
La foca se va detrás
de un gran banco de sardina.

En mi jardín hay un pino
que da piñas de piñones.
Allí duerme un estornino
que se atraca de aceitunas
del olivo.
De la oliva salta un hueso
redondito;
de la piña, un piñoncito
algo más grueso
a la hora de la siesta,
cuando duermo
bajo el pino, tranquilito.

De noche la cama es barca,
barca de vela muy blanca.
Sueño con un desafío
a un albatros colosal
que vuela fenomenal:
baja albatros en picado,
pero me escondo, asustado;
aparece el pez espada
que paseaba en manada:
espadazo por aquí,
picotazo por allá,
monta a su lomo el albatros,
y se marchan dando saltos

Tengo un jardín marinero
con un níspero, un granado,
naranjos y limoneros.

Por las paredes corre el dragón,
salamanquesa, mira qué cosa,
cómo se zampa la mariposa:

ahora adelanta una pata,
ahora entorna los ojazos
espabilados, negrazos,
a ver si no se le escapa;
ya se acerca, ya llegó,
saca la lengua y la atrapa.

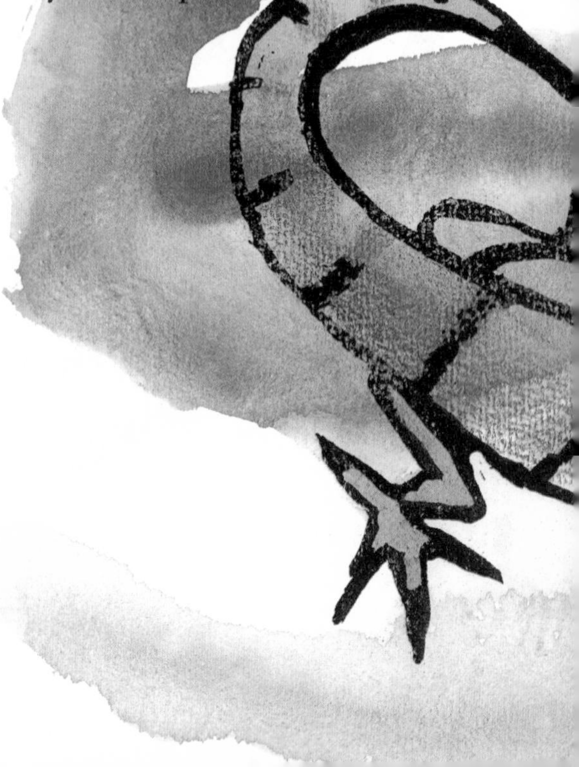

Las arañas del jardín
tejen la tela más fina,
de perlas y sedalina.
Tengo una araña muy gorda,
es una araña peluda,
de patas cortas y oscura;
caza moscas, mariposas,
y dice que son sabrosas.
Las arañas de mi casa
son delgadas,
con cuerpo de bailarinas:
hacen tela en los rincones
de las seis habitaciones.

# Adivinanzas

Tiene diez patas muy largas
y el cuerpo corto y peludo,
felpudo.
Parece araña y no es
porque no hace telaraña
ni al derecho ni al revés.
¿Será un cangrejo
o un bogavante?
¿Será un centollo
que va delante?

Es feo y peludo,
rojizo y sañudo,
camina torcido,
siempre va encogido.
No es caracol y va en concha,
pero la concha es prestada:
no es la tuya ni es la mía.
¡Alguien se la prestaría
si vive en concha prestada!
¿Lo adivinas? Ermitaño,
vive solo todo el año.

Es tan fea que da risa
como una bruja asustada
o una bayeta arrugada,
con vestido de cortinas
bailarinas.
Me espía desde una roca,
pero yo sí que la he visto:
¡soy muy listo!
Llena de cuernos y espinas
hace las sopas más finas.
Escorpina, cabrachina:
adivina.

En una cueva del mar
hay una cabra peluda,
colosal,
morrocotuda.
La cabra mueve sus patas
y fastidia a dos estrellas
coloradas y marrones,
que cocinaban paella
de erizos y mejillones.



¿Cuántas patas hay aquí?
Dos son diez, una son cinco.
Da un brinco y salta al revés,
dice la cabra, son diez.

# Índice

Escribieron y dibujaron…

# Olga Xirinacs

*—*Marina *(Premio de la Crítica, 1978), y* Caballito de Mar *son dos obras contenidas en este libro. Su autora cuenta cómo surgió la idea de escribirlo:*



—Una sirena joven me trajo un día por el mar hasta la casa donde nací y donde vivo, en el número 1 de la Rambla de Tarragona. Aquí escribo frente al mar, en el Balcón del Mediterráneo. Desde entonces, todos los peces que pasan ante mi ventana me saludan, moviendo la cola o alzando una aleta.

De madrugada salen las barcas que pescan durante el día. Sus potentes motores hacen pop, pop, pop, cuando van mar adentro. A la medianoche salen las barcas sardineras y las del calamar, con sus barquitas de luces detrás, y el mar oscuro se ilumina de puntitos como estrellas caídas en el agua. Las gaviotas rozan mi ventana y miran dentro, curiosas.

Luego van a mecerse en las olas, se tragan sus buenas raciones de peces y duermen en las playas desiertas. He viajado hasta América a bordo de un gran barco de catorce pisos, y en el Atlántico las ballenas también me saludaron a lo lejos con sus chorros de agua.

Cada verano, los peces chiquitos me piden que les componga un poema. Entonces cojo mis gafas submarinas, nado un rato con ellos entre las rocas y me cuentan sus historias. Luego las escribo en un libro.

*Caballito de Mar* lo escribí en dos veranos, fijándome bien en los peces y en la conchas, y aprendiendo sus nombres. Inventé juegos y canciones, para que los niños y niñas pudieran cantarlas luego y jugar con cada palabra como si fuese una concha, un cangrejo o un pececito en el agua.

Llevo escritos 34 libros y he recibido muchos premios. Creo que la sirena que me trajo a casa estará contenta con todo lo que he contado sobre el mar. Y vosotros, los que me leáis, también.

# Asun Balzola

*—Nació en Bilbao en 1942. Es autodidacta, aunque estudió dibujo y pintura en los años 60. Su larga trayectoria profesional y su reconocida fama la sitúan entre las más prestigiosas ilustradoras de nuestro país. Ha ganado numerosos premios tanto en España como en el extranjero. ¿Qué ha supuesto para usted ilustrar esta obra poética de Olga Xirinacs?*



—Bueno, me hace gran ilusión ilustrar una obra de esta autora catalana, a la que personalmente aprecio y estimo mucho.

De las dos obras que componen este libro, *Marina* fue publicada por primera vez en 1978. Yo entonces intenté, con mis ilustraciones, reflejar sobre todo la niñez en la playa, una playa más del norte, como yo lo sentía en aquel tiempo.

*Caballito de mar,* por el contrario, presenta un mar más mediterráneo, más cálido, a lo que sin duda contribuyen las líneas de trazos tan fuertes, que recuerdan las vasijas de cerámica griega.

*—Además de ilustrar, también ha escrito libros. ¿Se siente más ilustradora o escritora?*

—A mí en realidad lo que me gusta es comunicar, y para ello me resultan igualmente válidas las dos maneras de expresión. Claro está que, dependiendo del sentimiento que quiera transmitir, me encuentro más cómoda con un medio u otro.

# OTROS TÍTULOS PUBLICADOS
## A partir de 8 años

**Los traspiés de Alicia Paf**
*Gianni Rodari*

Alicia Paf no se sorprende si va a parar a una página llena de ilustraciones y habla con el Lobo o si cae dentro del tintero o se mete dentro de una pompa de jabón... Ella siempre sale airosa de sus fantásticas aventuras, a pesar de los muchos traspiés que da.

**Charly, el ratón cazagatos**
*Gerd Fuchs*

En el País de la Buena Hierba, la vida transcurriría tranquila si no fuera por algunos individuos molestos, como el gato Schultz. Charly, un simpático ratón, listo y audaz, se enfrentará a más de un enemigo, pero obtendrá una sorprendente recompensa.

**El Palacio de Papel**
*José Zafra*

En la biblioteca de un viejo caserón vive una familia de ratones: Allí, en la Enciclopedia, parece como si las palabras se transformaran en cosas. Pero un día llega un ratón de campo que les habla del mundo real. Entonces, Idolina, la hija, tomará una importante decisión.